*L'arrivée au monde*
de Carole Massé
est le neuf cent quinzième ouvrage
publié chez VLB éditeur.

La collection « Fictions »
est dirigée par Marie-Pierre Barathon.

VLB éditeur bénéficie du soutien de la Société de développement des entreprises culturelles du Québec (SODEC) pour son programme d'édition.

Gouvernement du Québec – Programme de crédit d'impôt pour l'édition de livres – Gestion SODEC.

Nous reconnaissons l'aide financière du gouvernement du Canada par l'entremise du Programme d'aide au développement de l'industrie de l'édition (PADIÉ) pour nos activités d'édition.

Nous remercions le Conseil des Arts du Canada de l'aide accordée à notre programme de publication.

# L’arrivée au monde

De la même auteure

*Rejet*, poésie, Montréal, Éditions du Jour, 1975.
*Dieu*, roman, Montréal, Les Herbes rouges, 1979.
*L'existence*, roman, Montréal, Les Herbes rouges, 1983.
*L'Autre*, poésie, Montréal, Les Herbes rouges, 1984.
*Nobody*, roman, Montréal, Les Herbes rouges, 1985.
*Je vous aime*, poésie, Montréal, Les Herbes rouges, 1986.
*Hommes*, récit, Montréal, Les Herbes rouges, 1987.
*Los*, poésie, Montréal, Les Herbes rouges, 1988.
*Les petites-filles de Marilyn*, poésie, Montréal, Les Herbes rouges, 1991.
*Qui est là ?*, roman, Montréal, Les Herbes rouges, 1996.
*La mémoire dérobée*, poésie, Montréal, Les Herbes rouges, 1997.
*L'ennemi*, récit, Montréal, Les Herbes rouges, 1998
*Secrets et pardons*, roman, Montréal, VLB éditeur, 2007.

Carole Massé

# L'arrivée au monde

*Roman*

Une compagnie de Quebecor Media

VLB ÉDITEUR
Groupe Ville-Marie Littérature inc.
Une compagnie de Quebecor Media
1010, rue de La Gauchetière Est
Montréal (Québec) H2L 2N5
Tél.: 514 523-1182
Téléc.: 514 282-7530
Courriel: vml@sogides.com

Maquette de la couverture: Anne Bérubé
Illustrations de la couverture: iStockphoto: © Michael Courtney, © Rachel Griffith, © Mary Schowe, © Torsten Stahlberg, © Anna Ceglinska et © Valeriy Evlakhov.

Catalogage avant publication de Bibliothèque et Archives nationales du Québec
et Bibliothèque et Archives Canada
Massé, Carole, 1949-
L'arrivée au monde: roman
(Collection Fictions)
ISBN 978-2-89649-117-9
I. Titre.
PS8576.A795A77 2010 C843'.54 C2009-942589-0
PS9576.A795A77 2010

DISTRIBUTEURS EXCLUSIFS:

- Pour le Canada et les États-Unis:
MESSAGERIES ADP*
2315, rue de la Province
Longueuil, Québec J4G 1G4
Tél.: 450 640-1237
Télécopieur: 450 674-6237
Internet: www.messageries-adp.com
* filiale du Groupe Sogides inc.,
filiale du Groupe Livre Quebecor Media inc.

- Pour la Suisse:
INTERFORUM editis SUISSE
Case postale 69 – CH 1701 Fribourg – Suisse
Tél.: 41 (0) 26 460 80 60
Télécopieur: 41 (0) 26 460 80 68
Internet: www.interforumsuisse.ch
Courriel: office@interforumsuisse.ch
Distributeur: OLF S.A.
ZI. 3, Corminboeuf
Case postale 1061 – CH 1701 Fribourg – Suisse
Commandes: Tél.: 41 (0) 26 467 53 33
Télécopieur: 41 (0) 26 467 54 66
Internet: www.olf.ch
Courriel: information@olf.ch

- Pour la France et les autres pays:
INTERFORUM editis
Immeuble Paryseine, 3, Allée de la Seine
94854 Ivry CEDEX
Tél.: 33 (0) 1 49 59 11 56/91
Télécopieur: 33 (0) 1 49 59 11 33
Service commandes France Métropolitaine
Tél.: 33 (0) 2 38 32 71 00
Télécopieur: 33 (0) 2 38 32 71 28
Internet: www.interforum.fr
Service commandes Export – DOM-TOM
Télécopieur: 33 (0) 2 38 32 78 86
Internet: www.interforum.fr
Courriel: cdes-export@interforum.fr

- Pour la Belgique et le Luxembourg:
Interforum Benelux S.A.
Fond Jean-Pâques, 6
B-1348 Louvain-La-Neuve
Tél.: 00 32 10 42 03 20
Télécopieur: 00 32 10 41 20 24
Internet: www.interforum.be
Courriel: info@interforum.be

Dépôt légal: 1er trimestre 2010
Bibliothèque et Archives nationales du Québec, 2010
Bibliothèque et Archives Canada


ISBN 978-2-89649-117-9

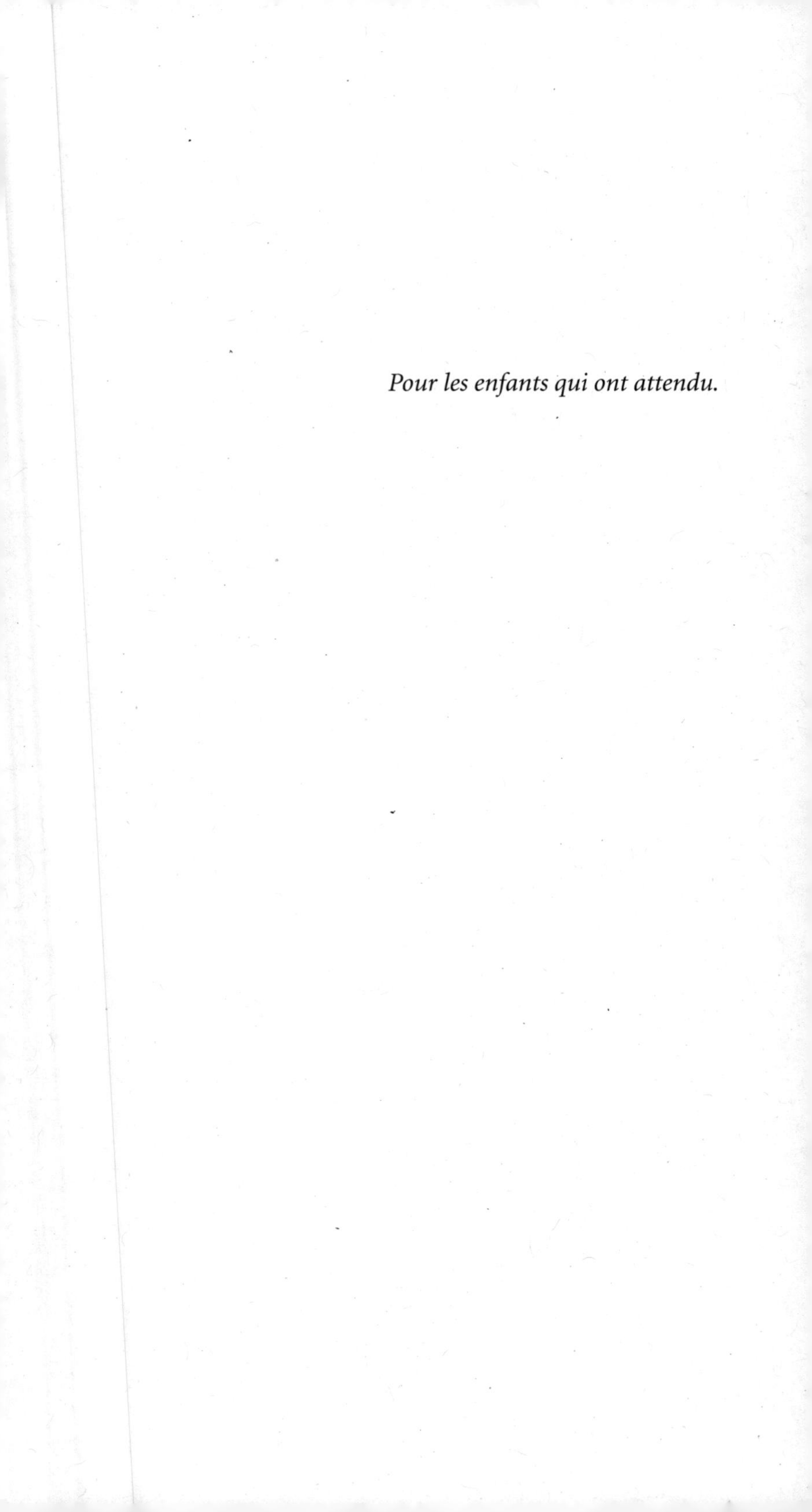

*Pour les enfants qui ont attendu.*

Nous venons de nulle part.
Nous ne voyageons que la nuit, dans nos rêves.
Notre père a les mains si longues qu'il n'y a pas d'espace dans la maison qu'il n'a pas visité.
Nos mains à nous sont si petites que Jade croit qu'elles ne peuvent rien saisir.
José et moi disons qu'elles ne peuvent pas porter de valises, ce qui est différent.
Jade, José et moi ne possédons rien, c'est bien la preuve de ce que nous avançons.

Une robe de chambre grise recouvre notre père des épaules aux chevilles.
«Ah! pouvoir se sentir enfin à son aise et son propre maître chez soi», répète-t-il à son retour du travail, avant d'enfiler le vêtement.
Les yeux de mon père, je ne les ai jamais vus.
Ma tête ne dépasse pas la hauteur de sa ceinture et c'est pareil pour mon frère et ma sœur.
Nous vivons au ras du sol et notre père, dans les nuages.
Nous nous en accommodons.

Nous ne sortons pas.
« Notre maison est loin de tout », affirme notre père.
Nous ne savons pas ce que veut dire « tout ».
Il nous laisse seuls dans la maison, du lever au coucher du soleil.
« Il ne vous sert à rien de sortir, puisque vous vivez à l'autre bout du monde », nous lance-t-il, avant de tourner la clé dans la serrure et de disparaître.
Si l'autre bout ressemble à celui où nous vivons, nous savons ce que veut dire « monde ».
C'est une sombre forêt de conifères qui percent une toiture bleue, d'après ce que l'on peut voir de l'autre côté des fenêtres.
Bleue, comme la couleur des doux yeux de José et Jade.
Mes yeux à moi sont noirs comme les jours d'orage.
Nous sommes nés pourtant en même temps, mais à quelques minutes d'intervalle.
Je suis la petite dernière, Jade est la première de la nichée.

Notre maison n'est jamais silencieuse.
Nous marchons peu parce que nous courons tout le temps.
La course est notre occupation quotidienne dès que la grande Porte de fer se referme derrière notre père.
L'un de nous s'élance, un deuxième se met à sa poursuite, un troisième traque le dernier.
Et nous martelons ainsi les planchers à coups de talon, faisant tourner les portes intérieures sur leurs gonds plaintifs.
Concert assourdissant, que l'on rythme de clappements de langues et de claquements de doigts.
Ainsi nous nous pourchassons durant des heures, jusqu'à ce que nos jambes se dérobent et nous jettent par terre, à bout de souffle, sans connaissance.
Nous aimons ne plus entendre battre notre cœur dans notre poitrine.
Ne plus entendre le grand vide résonner dans le ventre de la maison.

Nous rouvrons toujours nos yeux au même moment, quand vibre dans l'air le sifflement d'un train.
Où qu'il soit tombé, chacun de nous se traîne alors jusqu'à la Porte.
Devant elle notre mère, un jour, nous a dit :
« Je m'en vais prendre le train.
« Attendez-moi ici.
« Je reviendrai vous chercher dès que j'aurai trouvé un emploi et que je me serai installée. »
Et nous attendons.
Notre épuisement use, heureusement, notre impatience.
D'ailleurs, nous avons appris à courir le plus loin possible de notre souffle, jusqu'à l'extrémité de notre endurance, pour endormir au plus tôt notre espérance devant la Porte.
Mais une espérance, ç'a la couenne dure.
Parfois, malgré notre fatigue, elle s'éveille en sursaut et bondit sur Jade qui se retourne aussitôt contre le panneau de fer, les poings levés, en hurlant.

Nous préférons ainsi, et de loin, attendre à la pointe de notre respir, au bout de nos forces, le teint blême et sans appétit d'aucune sorte.
Attendre jusqu'à ce que la raison de notre attente s'efface.
Mais quand Jade se met à hurler, José se précipite sur son canif et en pique frénétiquement la lame dans les lattes du plancher.
Parfois dans les cadres de portes et de fenêtres.
Aujourd'hui, sur le pied du fauteuil de notre père, il trace un tronc droit, avec une tête mais sans bras, soutenu par deux jambes démesurément longues.
« C'est moi », dit-il tristement.
Je revois alors une chose ronde, chaude et parfumée, que notre mère coupait en quatre parties égales avant de les présenter à son mari et ses trois enfants.
Elle disait :
« Je ne peux plus rien faire à manger ici, sauf des tartes. »
Elle est partie après la millième tarte.

À quoi servent des mains ?
Nous n'avons plus compris l'utilité des mains après que notre mère est partie.
Jusqu'à ce que Jade et José s'en servent, l'une pour charger la Porte, l'autre pour graver sur le bois.
Moi, je les emploie pour écrire des lettres, un labeur titanesque.
Le matin, notre père ne part jamais sans nous laisser une feuille de papier et un crayon à mine mal taillé.
« Au cas, dit-il, où vous voudriez communiquer avec votre… »
Sa voix flanche toujours au dernier mot.
Alors, quand les cris et le canif sortent, je n'ai pas le choix.
Je m'allonge par terre et rédige péniblement :

*Mère, vous nous avez dit : je reviendrai.*
*Nous voulons manger des tartes.*
*Jade, José et moi, nous vous attendons toujours devant la Porte.*

Je n'écris pas tous les jours.
Courir nous fait le plus souvent oublier d'attendre.
Je ne dis pas ainsi toute la vérité à notre mère quand j'écris que nous l'*attendons toujours.*
Et si, pour se venger de nos oublis, elle nous abandonnait ici ?
Je n'écris pas chaque fois la même lettre.
Tantôt j'ajoute une ligne, tantôt remplace un mot ancien par un autre tout neuf que je n'ai jamais prononcé devant elle, et ce, afin qu'elle voie le temps passer sur le papier.
Elle est partie depuis si longtemps, avec ses yeux rouges et sa valise verte, que nous ne retrouvons l'usage de nos mains qu'en situation de crise.
Et même là, elles semblent rester de pauvres guenilles.
La preuve ?
Le crayon entre mes doigts pèse une tonne.
Écrire m'échine mille fois plus vite que courir.
Après quelques phrases seulement, harassée, je m'assoupis.

Oui, la colère, le canif, le crayon tombent vite de nos mains qui ne sauraient même soulever à six une seule valise, encore moins forcer une serrure.
Alors, quand notre père rentre le soir, nous sommes soulagés.
Il se tient immobile devant la Porte, couvert de son long manteau noir et de son feutre penché sur son front.
Il ne nous donne jamais ses bras, il les garde jalousement pour lui.
On soupçonne que notre mère a emporté les vrais dans sa valise et que ceux qu'il porte sont des faux.
Il ne veut pas risquer de se les voir arracher une seconde fois, s'il nous les tend à nous, faméliques mendiants d'amour.

Jade ravale ses cris, José range son canif, je remets ma lettre à mon père, qui la fait disparaître sous son manteau.
En sa présence, il est interdit de poursuivre quelque activité bruyante, même parler quand il ne nous en a pas fait expressément la demande.
Il nous a dit, un soir :
« Quand je rentre, c'est silence, vous avez compris ? »
Nous n'avons pas compris, mais nous nous sommes tus quand même et, depuis, nous lisons sur les lèvres même à bonne distance.

Notre père nous observe froidement, depuis sa position de gardien de la Porte, puis nous interroge à tour de rôle.
Comme il nous fait l'école les samedis et dimanches, sur semaine il pose des questions pour évaluer nos connaissances et nous corriger.
Il aime corriger, ce qui explique ses désappointements devant nos infaillibles mémoires d'éléphants.
Nous nous souvenons de tout en effet, hormis peut-être de ce que notre père fut, avant de n'être plus que le fervent propriétaire d'une clé.

Nous nous rappelons les roues de camions et d'automobiles, les bourrasques autour de hauts buildings, une cacophonie de sons crevant nos tympans et nous trois habillés de semblables vêtements.
Mais lui n'existait encore pas.
Puis ce fut le silence, des arbres, une maison à la campagne, enfin la Porte qui fit apparaître sous nos yeux un homme et son nom.
« Votre père aime créer son propre univers, dit alors notre mère en nous présentant celui qui s'affairait à poser une serrure.
« Ici, nous vivrons parfaitement unis. »
À cette époque, le jour, elle nous courait après pour nous engouffrer entre ses bras en pleurant de joie.
Le soir, le serrurier courait après elle pour l'emprisonner contre lui en riant aux larmes.
Il lui interdisait de sortir.
« Il m'aime ! s'exclamait-elle. Voyez-vous combien il m'aime ? »
Elle refusait qu'on aille à l'école.
« Je vous enseignerai moi-même et personne ne nous séparera jamais.
« Parce que je vous aime ! »

Le temps passa et le bonheur aussi.
Notre mère se mit à soupirer bruyamment, à rêver accoudée aux fenêtres, à surveiller l'ouverture et la fermeture de la Porte.
En même temps, elle commença à trouver des fautes dans nos cahiers et nos comportements.
Un soir, elle demanda au serrurier une clé pour elle.
Il refusa.
Le lendemain, elle crocheta la serrure et s'enfuit avec sa valise, nous laissant sa promesse de revenir nous chercher.
C'est au retour de l'homme, le soir, que notre père actuel est né.
Glacial, distant, impitoyable.
Il changea la serrure et porta la nouvelle clé en pendentif.
Déchira sous nos yeux, une à une, les photos de notre mère.
« C'est moi qui vous enseignerai désormais.
« Et vous m'obéirez au doigt, vous avez compris ? »
Nous n'avons pas compris, mais nous avons obéi quand même.
Et des piles de manuels et d'encyclopédies se sont dressées le long des murs en sentinelles…

Son interrogatoire terminé, notre père tire d'un sac à provisions béant à ses pieds des cartons de lait qu'il dépose sur le plancher.

À son signal, nous courons à la cuisine chercher verres et pièces de vaisselle.

Nous revenons nous asseoir par terre pour boire, et attendons la suite.

D'un second sac, il extrait trois truites, pêchées et vidées de ses propres mains, qu'il exhibe avec fierté.

Puis en emplit l'assiette de service que nous avons placée devant nous et qui occupe le centre imaginaire de notre tablée.

Après avoir enduit de lait les chairs visqueuses, nous y fichons nos canines, en commençant par les yeux.

Si ceux-ci résistent, nous les extirpons avec nos doigts et les croquons comme des bonbons avant de déchiqueter les filets.

Notre père n'aime que le poisson cru et frais, notre mère n'aimait que les tartes cuites de la veille.

Nous avons les dents dures et pointues comme des burins.

Un à un, les vêtements de notre père tombent au sol et la robe de chambre affaissée sur le plancher reprend forme humaine.
« Ah ! pouvoir se sentir enfin à son aise et son propre maître chez soi. »
La phrase rituelle prononcée, dans son fauteuil qui nous tourne le dos il s'installe et ouvre son journal.
Nous ne voyons plus que le sommet de sa tête dépasser du haut dossier de cuir noir.
Cela semble le moment de détente parfait pour lui : immobile, invisible, absent dans sa propre maison.
Il demeure cependant « citoyen du monde », comme il le clame, en prenant de ses nouvelles quotidiennement.
Ah ! les soucis constants qu'il se fait à son sujet et dont il nous entretient pendant que nous mastiquons.
Quand nous le voyons ainsi, l'esprit ailleurs, nous essayons de nous rapprocher de lui, en vain.
Il flaire notre proximité, comme nous, les araignées, et il se couvre aussitôt le visage d'une main.
« Ne me regardez pas, ordonne-t-il, je suis un bon à rien. »
Nous nous figeons alors sur place, car nous le croyons, comme nous croyons à tout ce qu'il dit.
Se dresserait-il donc, un jour, sous nos yeux, à visage découvert, que nous baisserions forcément les paupières.
D'abord par habitude, bien sûr, mais ensuite par pitié.
Un bon à rien ne doit pas être beau à voir.

«Je connais, moi, la vérité sur votre mère», dit notre père en nous donnant la définition du mot «vérité».
Il possède les définitions de tous les mots qui lui sortent de la bouche.
Nous inculque le sens de chaque terme qu'il utilise, nous confie-t-il, afin que nous ne doutions jamais de ses capacités à nous gouverner.
Mais comment pourrions-nous douter de celui qui nous nourrit?
Et tandis que nous rotons en l'écoutant, lui boit son gin en parlant.
Nous apprenons ainsi combien il est toujours en manque de notre mère.
Que jamais une femme avant elle n'a eu autant de pouvoir sur lui.
Que par elle, il a découvert les mille tromperies du langage et la justesse émouvante des clichés.
Elle a été la «reine de son cœur», la «prunelle de ses yeux», le «sens de sa vie».
Elle a fait sa valise parce qu'elle refusait son grand amour d'Homme, «avec une lettre capitale», précise-t-il.
Elle lui a préféré les morsures d'un chien.

Nous entendons d'étranges choses sur le monde derrière la Porte et craignons pour notre mère les crocs acérés des bêtes.
Et si ses blessures l'avaient empêchée de retrouver son chemin vers la maison?

Tandis que Jade s'époumone contre la Porte, que les planchers et les murs se couvrent graduellement de bonshommes sans bras, que mes lettres à ma mère s'allongent d'une page par an, notre père, lui, ne change pas.
Il sort, rentre, boit dans son fauteuil.
Jusqu'à ce que le sol soit constellé des feuillets de son journal.
Puis nous l'entendons causer avec lui-même dans la nuit.
Jusqu'à ce que nous nous endormions, tassés au milieu du grand lit, à l'étage.
Dès que je commence à rêver, je me lève, marche vers la Porte et l'ouvre.
Je voyage en direction du pays où vivent non pas les Hommes, mais les chiens.

À l'exception du fauteuil paternel et de notre matelas, le mobilier est disparu en même temps que notre mère. Notre père l'a jeté dans le lac situé derrière la maison et nous a annoncé, à son retour :
« Maintenant, il n'y aura plus de souvenirs. »
Puis, l'autre jour, il a arraché les portes des chambres, des placards et des armoires.
« Maintenant, a-t-il dit, il n'y aura plus de secrets. »
Tantôt, il a brûlé nos vêtements dans le foyer de la cheminée.
« Maintenant, nous allons vivre dans la vérité. »
Finalement, c'est au tour des réserves de légumes dans la cave de prendre le bord de l'eau.
« Maintenant, nous vivrons dans l'instant présent. »
S'il devait rentrer à la maison sans vivres, nous jeûnerions, point.
Ainsi courons-nous nus dans un espace sans frontière, accessibles au regard mais protégés, selon notre père, des voleurs, menteurs, dissimulateurs de tout acabit.
Et par les leçons qu'il continuera de nous donner, nous connaîtrons les seuls mots vrais, fidèles à la réalité de l'expérience humaine et non canine.

Un matin, à notre lever, notre père nous annonce qu'il quitte son emploi.
Sur-le-champ, il écrit une lettre de démission et va la poster.
Il rentre soixante-douze heures plus tard, ivre et étrangement conciliant.
« Est-ce que je vous aurais manqué, par hasard ? marmonne-t-il à notre adresse, de derrière son haut dossier.
– Vous ne nous avez pas manqué, répond Jade.
– Alors, vous avez eu faim peut-être ?
– Nous n'avons pas eu faim, répond José.
– Vous avez eu sûrement froid en tout cas ?
– Nous n'avons pas eu froid », dis-je.
Un lourd silence s'abat sur nous.
Puis fusent un chapelet d'invectives à notre endroit.
Ainsi apprenons-nous, de la bouche même de notre père, quels êtres insensibles nous sommes et quelle effroyable peine nous lui infligeons.

Le lendemain, notre père réintègre son horaire et ses fonctions d'antan.
Bien que retraité, ne nous abandonne jamais plus de vingt-quatre heures à nous-mêmes.
Ne laisse transpirer sa déception à notre égard qu'au moment de reprendre possession de son fauteuil, le soir, en prononçant :
« Ah ! ne plus se sentir parfaitement à son aise et son propre maître chez soi...
« Demain, je ne reviendrai pas, vous comprenez ? »
Nous ne comprenons pas, mais nous faisons comme si, quand même.

Notre père parle ainsi depuis ce qui me semble une éternité.
Un soir, quand il rentre, j'arrive à la hauteur de sa pince à cravate.
Comme d'habitude, dans l'ordre, il pose des questions, nous jette notre pitance, change de vêtements et s'engouffre dans son journal.
Mais, à ce moment-là, je ne suis plus la même.
Si mon frère et ma sœur dévorent la viande crue qu'il leur a dénichée, moi, je refuse de manger.

Hier, j'ai vu les excréments de mon père.

Hier, il a fait dans le fauteuil quand il pleurait, saoul, sur sa solitude.
Depuis des mois, ses sanglots ne tarissaient plus, éclatant dès la lecture de son quotidien terminée.
Or, rien de plus méprisable que des larmes chez l'Homme.
Rien de plus déstabilisant que la vue de ses selles.
Nous avons dû nettoyer ce petit-homme-devenu endormi dans ses déjections.
Nous l'avons fait sans nous poser de questions, sans penser, conditionnés de corps et d'esprit à servir le gardien de la Porte.
Et brusquement, je nous ai vus tous les trois pour la première fois : nus et sans voix.
Et j'ai eu honte.

Hier, sous les coussins du fauteuil de mon père, j'ai découvert des lettres maculées de larmes et de fèces.
Mes lettres à ma mère !
« Regardez-nous donc ! ai-je crié à mes frère et sœur en brandissant le papier souillé sous leur nez.
« Nous vivons dans la maison de ce tyran depuis des lustres, au point d'être nous-mêmes devenus répugnants : tout sales, chétifs et voûtés !
« Eh bien, cela suffit ! »
Nous avions tout à coup un gouffre noir en guise de visage.
Nous avions besoin d'ouvrir la Porte, comme d'ouvrir la bouche pour parler.
Ah ! trouver les mots qui décrivent notre condition de chiens !
Trouver les gestes qui nous délestent de notre rage !

Hier… il y a mille ans dorénavant.

Aujourd'hui est le premier jour de ma vie, car le dernier du tyran.

À présent, la lecture de son journal à peine entamée, notre père éclate en sanglots.
Aussitôt Jade, José et moi nous retirons dans notre chambre et complotons son exécution.
Nous fixons le moment : quand il sera trempé de larmes, rempli d'alcool, ronflant dans son caca.
À la nuit tombée, nous redescendons et marchons sur la pointe des pieds jusqu'à l'entrée du salon.
Aux poings, les couteaux de chasse de notre père.
Longtemps, nous restons aux aguets.
Soudain, la puanteur qui envahit nos narines donne le signal de l'assaut.
En rampant, nous progressons vers le fauteuil aussi bruyant que nauséabond.
La noirceur est totale, mais nous avons appris à vivre dans les ténèbres de l'Homme.
Et à cette seconde précise, sa Chute éclaire notre chemin, aussi sûrement qu'un phare à feu fixe dans le noir de l'océan.
À un signe complice, nous nous dressons et attaquons.
Nos cris horrifiés étouffent les bruits de succion de la chair qui avale les lames…

Nous avons le temps, maintenant, tout notre temps…

Les gestes lents et solennels,
nous préparons le défunt pour l'ensevelissement.

Avec des linges enduits de son alcool préféré, Jade, Josée et moi lavons notre père en silence, presque avec attendrissement, comme des fidèles, leur dieu tutélaire déchu.
Nous ne regardons pas ses yeux, non, nous respectons jusqu'à la fin son désir d'invisibilité.
Nous le manions avec délicatesse, sans insister, nous rappelant son dédain d'être touché.
Acquiesçant à son désir longtemps clamé, durant ses nuits de beuverie, de disparaître de la surface de la terre, nous nous employons avec minutie à combler ce vœu.
Après deux heures consacrées à l'Homme, éliminées les traces de sa saleté, de sa vulgarité, de sa violence.
Grâce aux draps blancs qui le ceignent, celles de son existence.
Ne reste plus qu'à me diriger vers la serrure, y engager la clé de mon père et tourner.

Quelques secondes plus tard, notre fardeau dans les bras, tous trois avançons vers la Porte grande ouverte.

Notre père est plus lourd mort que vivant.
Plus écrasant.
Plus terrifiant.
Plus obsédant.
Mais nous savons désormais pouvoir soulever chacun une valise et franchir le seuil.

Au firmament se découpe une pleine lune.
Nous descendons vers le lac d'où monte le clapotement des vagues.
Jade et José soutiennent les épaules du mort, moi ses pieds.
Les bosquets contre lesquels nous écorchons nos jambes…
Les racines sur lesquelles nous trébuchons…
La terre où s'enfoncent nos pas…
Giclées d'odeurs…
Explosions de sons…
Surabondance d'images…
Notre père nous mentait !
Nous sommes au cœur de « tout ».
Car nous ne doutons pas un instant que cette nature vivante autour de nous participe de l'essentiel du monde.
Notre père nous mentait !
Le sens du mot « vie » ne dit rien de la sensation d'être en vie.

Nous tremblons… d'émerveillement.

Sur le rivage, nous déposons le mort.
Lui repassons au cou sa chaînette ornée de la clé.
Je me penche vers lui.
Palpe la forme de son visage.
Caresse des doigts les plis du tissu qui soulignent le contour de ses lèvres.
Au nom de mon frère et de ma sœur, je les embrasse passionnément.
Tant d'amour et de haine forge ce premier et dernier baiser à mon père.

Le cérémonial achevé, nous l'embarquons dans la chaloupe.
Puis filons vers le hangar à la recherche de pesées.

José rame jusqu'au milieu du lac.
À l'aide de broches, j'enfile un chapelet de briques dont Jade encercle les pieds du cadavre.
À l'unisson, nous le jetons par-dessus bord.
Nous retournons notre père à l'eau, à sa naissance, à son inconsolable douleur d'Homme-enfant.
Puisse-t-il trouver la paix dans l'abolition de ses rêves, dans la réduction de son souffle à ses os.
Quant à nous, comment lui pardonner de nous avoir transformés si patiemment, si scrupuleusement, en ses meurtriers?

Nous fixons l'onde où la momie sombre lentement.
Ni prières ni pleurs de notre part.
Nous ne croyons plus en Dieu.
Nous ne croyons plus en la Vérité.
Nous ne croyons plus en l'innocence de l'Homme.

Nous connaissons le mal.

De retour à la maison, nous trouvons de quoi nous couvrir.
José enfile les vêtements de son père, Jade et moi, ceux de notre mère découverts dans une boîte rangée au fond d'un placard.
Dessous les blouses et pantalons, nos certificats de naissance et des liasses de billets de banque.
C'est ainsi vêtus et pourvus que nous nous précipitons à l'étage et nous réfugions dans nos rêves.
Quel étrange animal frémissant, à douze membres et trois têtes, formons-nous au creux du matelas !
Au matin, la lumière qui coule de la fenêtre le met à jour une ultime fois.
Car l'heure est venue de nous séparer.

Jade, je n'avais pas prévu qu'elle reste: elle refuse de franchir le seuil une seconde fois.
José et moi la supplions de nous suivre.
Elle hoche la tête de gauche à droite, imperturbable.
C'est là que j'aperçois ses mains couvertes de cicatrices, déformées par ses années d'emportement contre la Porte.
Depuis longtemps déjà, sa voix n'est plus qu'un filet grinçant, sa voix que ses hurlements ont abîmée.
Jade dit:
« Nous ferons comme lui, je le crains.
« Nous grandirons encore, deviendrons beaux et nous marierons.
« Puis nous aurons des enfants... et nous nous enlaidirons.
« Parce que nous ne les laisserons plus dormir en paix.
« À notre tour, nous leur ferons porter nos misères passées, notre enfance assassinée.
« Jusqu'à ce que, devenus invivables, nous recevions d'eux ce baiser traître et vengeur que nous avons donné à notre père.
« Alors, je préfère rester. »
Et avec un pâle sourire aux lèvres, elle referme doucement la Porte entre elle et son futur.

Au sifflement, José et moi étions prêts à sauter à bord du train en marche.
Nous n'avions pas entendu cette plainte toutes ces années pour ne pas désirer connaître la puissante bête qui nous arracherait sans regret à ce coin de terre perdu.
Accroupis dans un wagon, ivres d'air, aveuglés de lumière, nous regardons défiler les paysages.
Le monde est immense et il n'a pas de bout.
La toiture bleue au-dessus de nos têtes n'a pas de fin non plus.
La Vie court autour de nous en essaims de formes et de couleurs que personne ne pourrait chiffrer sans se tromper.
Cet être tentaculaire a des milliards de représentants, si singuliers et subtils qu'il faut faire acte d'humilité pour y figurer.

Nous espérons trouver un modeste espace pour nos bagages : le canif de José, mon crayon et mes lettres à ma mère.

C'est dans un gros village situé le long de la voie ferrée que nous avons débarqué, il y a un an.
Le jour, je fais des ménages chez des particuliers.
José travaille le bois chez un artisan.
Le soir, je m'instruis dans des livres et corresponds avec Jade.
José donne ses mains aux femmes.
Il y en a une, Stella, qui a décidé de les garder.
José a découvert ainsi d'autres manières de les utiliser.
« Pour chatouiller, masser, caresser, étreindre… », me dit-il en souriant.
Je pense : pour émerger des profondeurs, nourrir le feu des viscères, lever des cris d'amour…

Au début, les amoureux passaient fréquemment me voir.
Maintenant qu'ils vivent ensemble, c'est moi qui vais les visiter.

Depuis quelques semaines, je n'ai pas donné de mes nouvelles.
Je m'empresse, ce soir, de cogner à la porte des amoureux.
Silence.
Pour une raison qui m'échappe, mon cœur s'emballe.
Je frappe plus fort.
Silence.
Les poings levés, comme Jade autrefois, je les abats contre le chambranle en hurlant.
Silence.
J'arrache un coin de la moustiquaire au châssis, tire le verrou de l'autre côté et me précipite à l'intérieur.
La chambre des maîtres semble grugée comme un os, avec ses murs encochés d'innombrables petits bonshommes sans bras.
Sur le plancher, froissée, une lettre de rupture de Stella.
Sous le drap qui recouvre le lit, le corps nu de mon frère, les bras lacérés de coups de canif qu'il s'est donnés sans retenue.
Il s'est vidé de son sang.
Sur son oreiller, un message pour Jade et moi.

c'est

insupportable

Pardon soeurettes

Je crois mourir en me retrouvant devant la Porte, l'urne contenant les cendres de mon frère enfouie dans mon havresac et son billet plié dans ma main.
Jade m'ouvre.
Elle et moi nous étreignons sans trouver un seul vocable qui traduise notre réelle émotion.
« Douleur », « déchirement », « désespoir », tous des mots approximatifs, grossiers, superficiels.
Seuls nos corps tourmentés de maux rendent en silence le sentiment qui nous submerge.
Le lendemain pourtant, nous nous raccrochons au pauvre vocabulaire, comme à tout ce qui sert de trait d'union qui n'est pas maladie ou folie.
Après tout, qu'avons-nous d'autre à portée de souffle, à part ces sons ridicules, imparfaits, triviaux, pour poursuivre courageusement notre vie jusqu'à son échéance ?

Tandis que la terre accueille José en son sein, comme une bonne mère, nous nous disons :
« De nous trois, il était l'enfant préféré du silence.
« Il taillait le bois sans jamais émettre un seul son, comme pour tenir le tumulte des émotions à distance.
« Il ressemblait à notre père dans nos souvenirs lointains, beau comme un dieu avant que le malheur le défigure. »
Nous prenons des jours pour nous panser, Jade installée dans le fauteuil de notre père, moi accoudée à la table disposée devant la fenêtre donnant sur le lac.
De sa place, elle aperçoit le pin blanc sur l'écorce duquel nous avons gravé au couteau : « C'est moi ».
Les cendres de notre frère nourrissent désormais ses racines.
De ma place, j'aperçois le berceau liquide où dort l'enfant-tyran que nous avons eu comme géniteur.
Et constate la nécessité de repartir.

Le train que j'ai pris m'a emmenée dans une petite ville.
Le jour, je fais des ménages au *Palace.*
Le soir, je suis des cours pour adultes.
Chaque fin de semaine, j'entame la lecture d'un nouveau livre et poste le précédent à ma sœur.

*Si tu voyais le trousseau de clés à ma disposition, Jade, et le nombre de serrures dans lesquelles il me faut les introduire le matin.*
*Souvent, un de ceux qui séjournent à l'hôtel se matérialise sous mes yeux, dans l'entrebâillement d'une porte.*
*Homme ou femme, à demi nu, couvert de crème, de boutons, de frissons, de toison, de larmes, de rides, de cicatrices ou d'ecchymoses…*
*Parfois, il y en a deux, emboîtés l'un dans l'autre sur le tapis, le lit ou le bord de la fenêtre, figés dans des poses incroyables…*
*Je referme dès que j'ai conscience de leur présence et reviens plus tard nettoyer leurs chambres.*
*Tant de secrets derrière une fermeture de sûreté, tant de vertiges dans mon crâne.*
*Tu me diras : « Pourquoi ne suspendent-ils pas l'affichette NE PAS DÉRANGER à la poignée ? »*
*La porte est un rideau de scène, Jade.*
*À son lever, on peut jouer à peu de frais sa pauvre vie devant témoins.*

*Vivement que je change de métier !*

Dix-huit mois plus tard, un diplôme en poche, je rédige des lettres pour le compte d'un avocat.
Un imprimeur publie mes *Lettres à ma mère* à deux cents exemplaires que je distribue moi-même.
Un midi, alors que je me restaure dans un casse-croûte, une femme se présente à moi.
« Je suis ta maman », me dit-elle.
Et sans plus, elle me tend ses permis de conduire, carte d'assurance maladie, contrat de mariage et jugement de divorce.
Puis un papier sur lequel elle a transcrit son adresse et son numéro de téléphone.
J'en ai le souffle coupé.
Elle pivote sur ses talons et disparaît aussi vite qu'elle est apparue.
Ma mère tant attendue, ma mère tant désirée…

Mais qui était cette femme devant moi ?

Je dépassais l'étrangère de deux têtes.

Dans le parc où nous avons pris rendez-vous, l'étrangère débite sa plaidoirie, sans me regarder.
Elle a acheté mon livre dans une librairie et s'est reconnue en me lisant.
Allait-elle me revoir après tout ce temps ?
Après moult hésitations, elle a tranché.
« Et voilà, je suis venue ici pour que tu saches…
« D'aussi loin que je me souvienne, ma vie a été…
« Tous ces sentiments en moi, tu vois, étaient…
« Entre-temps, mon mariage avec lui, eh bien… »

Je hoche la tête lentement, tantôt de haut en bas, tantôt de gauche à droite.
Je décline une série de oui… non… ah bon… ah oui ?… non, non… bon…

Et elle continue d'aligner des mots en marchant à mes côtés :
« À ce moment-là, mon âme…
« Et puis, mon être entier aspirait à…
« Mais lui… ah ! mais lui…
« Entre lui et moi alors… »

Au milieu de son bavardage, je m'enfuis.

La semaine suivante, je rencontre l'étrangère chez elle.
Le logement : ancien.
La décoration : chargée.
L'accueil : fébrile.
Elle grimace des sourires, m'effleure occasionnellement le bras, rougit de plaisir, me fait des yeux nostalgiques en s'écriant :
« Ah ! retrouver le temps perdu ! J'attends depuis si…
« Et refaisons-nous une famille, elle m'est devenue…
« Je vous cuirai de bonnes tartes et même…
« Comment ? ta sœur refuse d'avoir le téléphone ? alors je ne…
« Et ton père, où m'as-tu dit qu'il était parti vivre, au juste ? »

À la salle de bains, j'ouvre le robinet et plonge mon visage sous l'eau froide.

Je regagne ma place à côté de l'étrangère assise sur le canapé.
Sur la table basse devant nous, du champagne.
Nous trinquons à nos retrouvailles.
Occupant nombre de cadres suspendus aux murs et posés sur des étagères à livres : ses photos d'elle jadis.
Sa jeunesse étincelante.
Sa silhouette légère et svelte.
Son regard langoureux, encadré d'un trait d'eye-liner parfait.
À chaque époque, un chien différent à ses côtés, un nouveau paysage en arrière-plan.
Dans l'armoire vitrée, une collection d'œufs décoratifs, souvenirs de ses périples sur les plages du Maine et du Mexique, de même qu'en Floride.
Nous reposons nos flûtes sur les sous-verres.
« Est-ce que tu me comprends enfin ? » me demande-t-elle, des larmes dans la voix.

La femme est vieille, tout empâtée et ridée, sans plus d'amis ni d'amants probablement.

À la gare, j'attends l'étrangère.
Dès son apparition, je reconnais cette fois ma mère, à ses yeux rouges d'excitation et à sa valise verte, plus petite que dans mes souvenirs mais parfaite, selon la propriétaire, « pour ce séjour à la campagne chez mes trois adorables enfants ».
Dans le train, j'examine à la dérobée la nouvelle venue.
Ses paupières barbouillées de khôl.
Ses cils englués de rimmel.
Le rouge débordant de ses lèvres.
La minirobe échancrée.
Aujourd'hui, elle veut ravoir vingt ans.
À chaque « nous » vibrant qu'elle m'adresse, je réplique par un mot rare que j'ai découvert seule, dans la maison de l'abandon.
En descendant au village, elle ne se rappelle plus le chemin vers son ancien chez-soi.
Devant la Porte, reconnaît à peine le toit sous lequel elle a vécu avec ses zadorables zenfants.

Calée dans le fauteuil de notre père, Jade n'identifie pas les yeux rouges ni la valise verte.
Elle ne se lève pas devant l'étrangère que je lui présente comme notre mère.
Elle lui dit simplement :
« Tu n'as plus ni mari, ni enfants, ni maison.
« Seulement la place vide que tu as laissée ici.
« Et elle n'est d'aucune utilité. »
Puis, d'un geste de la main, ma sœur me fait signe de repartir.
Je la dévisage.
Me chasserait-elle de la maison familiale ?
Jade insiste et me repousse à l'extérieur en lançant :
« Je veux que tu survives au retour de cette femme. »
Dans l'entrebâillement de la Porte, j'aperçois le regard affolé de ma mère accroché au mien.
Et je me souviens des yeux vitreux des poissons que notre père nous jetait en pâture.
Ils nous fixaient ainsi, quand nous avancions vers eux nos canines effilées.

Dans le train, j'ai cassé tous mes crayons.

Maintenant, je débarque dans la grande ville.

Je m'assois à une terrasse et pose sur la table des mains enfin libres.

Je regarde défiler les chiens et j'aboie.

Un collègue se présente à moi à la firme où je travaille.
Il parle avec animation, rit de bon cœur et donne des tapes dans le dos de ses amis.
À moi, il donne rougeurs, chaleurs et tremblements.
Il m'invite à souper dans un restaurant.
Au premier baiser que je lui accorde, il devient mon petit chien, savant et sauvage.
Deux mois plus tard, il se déclare :
« Tu es le soleil de ma vie.
« J'ai besoin de toi comme de l'air que je respire, comme de la nourriture que je dévore. »
Le discours de l'homme-chien à sa femelle est toujours le même, d'après les romans que je parcours.
Et la réponse aussi.
Car à mon tour je n'aspire plus qu'au plaisir de ses morsures au creux de ma chair.
Je suis désormais une femme comme toutes les autres.
Sans cicatrice, sans histoire, sans généalogie.
Je m'empresse de l'annoncer à ma sœur.

Jade me répond par courrier :

*Notre mère est morte quelques jours après ton départ. Je lui avais raconté en détail notre vie passée avec notre père, de même que ce qu'il était advenu de lui et de notre frérôt-sans-bras.*
*La description de nos repas de poissons l'avait secouée, elle qui n'avait jamais pu supporter ni l'odeur ni la viscosité de leur chair. Elle avait pris subséquemment le lit.*
*Le lendemain, des morsures apparurent sur son corps. Tant, à mesure que les heures filaient, qu'elle agonisa dans d'affreuses douleurs et expira le soir même.*
*Le docteur que j'appelai fit venir la police qui fit venir des témoins qui firent venir le curé du village. À un moment, on me soupçonna du pire, faute de comprendre l'inexplicable. Mais comment aurais-je pu toucher ma mère, moi qui ai les dents rondes et rares à manger potages et purées depuis la mort du tyran ?*
*Nimbée de son aura de mystère, elle a été enterrée au cimetière, à côté de l'église. Des bouquets fleurissent régulièrement sa tombe depuis qu'elle a, dit-on, exaucé les prières d'une paroissienne. Des rumeurs la prétendraient sainte. Les simagrées du troupeau humain ne sont-elles pas infinies ?*
*J'ai perdu la voix après les obsèques. Par chance, je peux encore écrire.*
*Tu trouveras ci-jointe une lettre de ta mère.*

De l'envoi de Jade, je retire la lettre de ma mère.
Sur l'enveloppe, est écrit : *Lettre à ma fille.*
À l'intérieur, une feuille vierge.
Ah ! ce silence éternel qu'elle me renvoie au visage pour la millième fois !

Je travaille comme adjointe administrative, le jour.
Le trousseau de clés mis à ma disposition me donne de nouveau des vertiges.
Tant de serrures encore sous mon nez, de tiroirs, classeurs, coffres…

*La Porte, Jade, je la revois partout.*
*Dès le clic d'une clé dans une serrure, c'est Elle qui s'ouvre.*
*Et sous mes yeux: l'abîme, au bord duquel je chancelle.*
*Mon seul instinct, fuir !*

En quête de nouvelles perspectives, je m'inscris à l'université, le soir.
Prends des cours de natation et d'apnée, le week-end.
Commence la rédaction d'un roman.

*Nos mains ne sont pas libres, Jade, mais liées.*
*Je le découvre à peine.*
*Elles ne sont pas avides d'isolement ou d'espace, mais de sens.*

Après quelques mois de fréquentation, l'homme-chien me demande en mariage.
« Pourquoi ? lui dis-je.
– Être père est mon rêve, répond-il. Trois enfants me plairaient, dans une maison à la campagne, avec de beaux conifères… »

Je le quitte sur-le-champ.

Après ma rupture avec l'homme-chien, Jade ne répond plus à mon courrier.
Je prends le train et descends au village pour gagner la maison familiale.
Je cogne et entre.
À travers pénombre, poussière et odeur fétide, s'ébauche une forme inclinée dans le fauteuil de cuir noir.
Ma sœur y a rendu l'esprit, entourée de mes derniers envois.
Dans sa main bleuie, rigidifiée, un stylo.
Par terre, une lettre… inachevée.

*Ma chère, ne m'adresse plus de livres.*
*Je n'ai plus de place où les mettre au rez-de-chaussée et je suis trop faible pour les monter à l'étage.*
*Je ne sors de chez moi que pour porter mes listes à l'épicier, au quincaillier, au pharmacien qui me livrent mes commandes.*
*J'espérais que ma voix me reviendrait avec le temps, mais je crains qu'elle ne s'en soit allée pour de bon.*

*Je poursuis ma lettre après un arrêt de plusieurs semaines.*
*C'est qu'elle est revenue, ma voix.*
*Elle m'a réveillée une nuit et m'a appelée de derrière la porte avec un tel accent de tendresse que je me suis précipitée pour répondre.*
*Sur le seuil, dans une de mes robes d'antan, une fillette m'a dit qu'elle était enfin sortie des jupes de sa mère.*
*Si tu avais entendu ses intonations, sans raucité aucune !*
*Ma voix coulait pure d'entre ses lèvres comme dans ces temps lointains avec maman.*
*Depuis, jour et nuit, par les fenêtres je vois jouer et entends babiller l'enfant.*
*Quand je ne vais pas la rejoindre, pour éviter de la laisser seule, je laisse tout ouvert, y compris le panneau de fer.*
*Comment ai-je pu m'enfermer si longtemps dans cette maison de pierre ?*
*Je jouis d'un bonheur parfait désormais, que j'aimerais que tu*

Deux policiers sont venus, suivis d'un médecin.
J'ai fermé la porte au curé : une sainte par famille, ça suffit.
Car après ma mère, c'est Jade qui se dérobe au discours de la rationalité.
Tous ignorent ce qui l'a tuée.
Moi, je sais.

Mots-cris.
Mots-silences.
Mots vides de sens.
Mots en souffrance.

Mots menteurs.
Mots bâillonnés.
Mots impuissants.
Mots assassins.

Mots oubliés.
Mots convenus
Mots oublieux.
Mots inimaginables.

Mots tués dans l'œuf.
Mots-pardons.
Mots ressuscités.
Mots impardonnables.

Mots-matrices.
Mots-mouroirs.
Mots-moi indissolubles.
Mots moi disloqués.

À leur tour, les cendres de Jade nourrissent les racines du pin blanc.

Sous mes yeux, je fais démolir la Porte, la maison, le hangar.

La chaloupe ancrée au milieu du lac, je plonge en apnée.

Mon but : ne pas pleurer.

Réapprivoiser l'abîme.

Affronter le fantôme aux pieds de briques.

Refaire surface pour la énième fois.

J'enseigne aux enfants de 6e année les contes à dormir debout des religions et autres matières obligatoires.
Leçons, devoirs, examens, corrections…
Trousseau de clés mentales mis à ma disposition…
Fuir encore ? inutile ! je ne peux plus changer.
Ni de passé, ni de vertiges, ni de… vocation.
Car je possède, désormais, les définitions de tous les mots qui me sortent de la bouche.
J'inculque aux élèves le sens de chaque terme que j'utilise afin qu'ils apprennent à mieux gouverner leur vie.
Dans la rue, je croise souvent l'homme-chien avec sa femme et leur progéniture et les invite régulièrement à souper.
Je demeure dans une tour de Babel moderne, où les langues des occupants me rappellent des quatre coins du monde les endroits qu'il me reste encore à visiter.
Mon appartement ressemble à un bureau, tout propre et blanc et anonyme.
Pas un livre ni une image ni un seul objet décoratif.
Le minimalisme et le fonctionnel, la pureté et le dépouillement.
Je suis élégante, séduisante, en moyens, j'ai réussi ma vie.
La nuit je rêve que je me lève, cours vers la porte et l'ouvre… sur un mur de briques.
Finis les voyages en dehors du réel, au-delà du visible.
J'occupe entièrement la place qui m'est dévolue, comme la pièce petite, unique, nécessaire à l'achèvement d'un puzzle.
Je suis enfin arrivée au monde parce que je suis finie.

À ma retraite de l'enseignement, je retourne au domaine familial.
J'y emmène mes connaissances pour un pique-nique et une baignade.
Le lac est un miroir parfait, sans une seule fêlure pour défigurer les visages qui s'y mirent
La forêt luxuriante qui l'entoure, une merveille de labyrinthe.
Impossible pour moi de reconnaître l'emplacement de la maison, le rivage où j'ai embrassé un mort, le pin blanc qui s'alimente de José et Jade.
Le « c'est moi » doublement inscrit sur son tronc reste introuvable.
Aucun être humain, apparemment, n'a foulé ce coin de pays.
La terre est vierge… vierge comme une feuille blanche.
Et devant pareil spectacle, il me faut bien reconnaître l'inéluctable :

Les vagues successives du temps balaieront tout finalement, nos traces… nos traits… et même nos noms.

*Toujours, je n'aurai écrit que pour toi, qui ne liras jamais ma lettre, écrit l'effroi à attendre ton pas, la peine à savoir cette attente vaine et l'impossibilité de disjoindre la peine de l'effroi et vice-versa. Écrit aussi l'ivresse à te retrouver mille fois dans mes rêves, après quelques simples clignements de paupières, quand je sais l'épaisseur de nuit qu'il m'aura fallu traverser dans ma vie pour voir poindre le jour. Je suis née de ton absence, comme ces mots à l'instant qui t'inventent et me redessinent un visage, qui te serait pourtant resté étranger si tu avais dû le croiser sur ton passage…*

Ainsi commence *Lettre à l'absente,* mon premier et dernier roman, qu'un imprimeur publie à cinquante exemplaires que je distribue moi-même à mes relations d'ici et de l'étranger.

Je viens de nulle part et n'irai plus nulle part.
J'ai terminé mes voyages autour de la planète, mais n'achèverai jamais celui en moi-même.
À la progéniture de l'homme-chien, que j'ai vu croître en âge dans ma salle à manger, je lègue tous mes biens.
Maintenant allongée sous le drap, je regarde par ma fenêtre les avions, les trains et les voitures passer.
Coupée enfin des bruits et collée à ma conscience qui clignote, je respire à peine.
Trois phrases tintent alors à mes oreilles :
« Mon père avait les mains si longues que j'ai dû les trancher.
« Ma mère, les mains si petites que j'ai dû m'en passer.
« Et tout le reste devint littérature. »

Étonnée, je pouffe soudain de rire.
À me tenir les côtes !
À faire pipi dans ma culotte !
Puis… clac !

Le dernier souffle se verrouille.

NE PLUS DÉRANGER

S'IL VOUS PLAÎT

DANS LA MÊME COLLECTION

– Dr G m'a déjà parlé de toi, mais j'aimerais entendre ton point de vue sur les choses.

– Mon point de vue sur quoi ?

– Sur la situation… Pourquoi penses-tu que tu es ici ?

– J'ai essayé de me suicider en faisant une overdose de somnifères.

– Et est-ce que tu veux t'en sortir ?

– Non merci, ça ira.

Née en 1990 à Montréal où elle étudie la littérature, Olivia Tapiero a remporté le prix Robert-Cliche du premier roman avec *Les murs*, qui relate les quelques mois d'hospitalisation d une jeune fille. Dans une écriture particulièrement maîtrisée et avec une efficacité redoutable, Olivia Tapiero entraîne ses lecteurs dans le long tunnel des pensées de son héroïne, dont le dossier porte la mention « Suicidaire + + + ».

## CHOIX DE TITRES PARUS
## DANS LA COLLECTION FICTIONS

| | |
|---|---|
| Achille, Stéphane | *Balade en train assis sur les genoux du dictateur* |
| Archambault, Gilles | *Stupeurs* |
| Assani-Razaki, Ryad | *Deux cercles* |
| Baillie, Robert | *La nuit de la Saint-Basile* |
| Baillie, Robert | *Soir de danse à Varennes* |
| Baillie, Robert | *Les voyants* |
| Barcelo, François | *Agénor, Agénor, Agénor et Agénor* |
| Beausoleil, Claude | *Fort Sauvage* |
| Bédard, Jean | *La femme aux trois déserts* |
| Bédard, Jean | *Nicolas de Cues* |
| Bédard, Jean | *La valse des immortels* |
| Bélanger, Marcel | *La dérive et la chute* |
| Bélanger, Marcel | *Orf Effendi, chroniqueur* |
| Blondeau, Dominique | *Une île de rêves* |
| Boulerice, Jacques | *Débarcadères* |
| Boulerice, Jacques | *Le vêtement de jade* |
| Brossard, Nicole | *Baroque d'aube* |
| Brossard, Nicole | *Le désert mauve* |
| Charlebois, Jean | *Chambres de femmes* |
| Choquette, Gilbert | *Le cavalier polonais* |
| Chung, Ook | *Nouvelles orientales et désorientées* |
| Corbeil, Normand | *Les années-tennis* |
| Corbeil, Normand | *Un congé forcé* |
| Corbeil, Normand | *Voix* |
| Côté, Allen | *La société du campus* |
| Côté, François X | *Slash* |
| Côté, Reine-Aimée | *L'échappée des dieux* |
| Daigle, France | *La vraie vie* |
| Dandurand, Andrée | *Les chemins de la mer* |
| Dandurand, Andrée | *Sous la peau des arbres* |
| Desautels, Jacques | *La dame de Chypre* |
| Desautels, Jacques | *Rue des Érables* |
| Dulong, Annie | *Autour d'eux* |
| Farhoud, Abla | *Le bonheur a la queue glissante* |
| Farhoud, Abla | *Le fou d'Omar* |
| Farhoud, Abla | *Splendide solitude* |
| Ferretti, Andrée | *L'été de la compassion* |
| Ferretti, Andrée | *Renaissance en Paganie* |
| Ferretti, Andrée | *La vie partisane* |
| Ferretti, Andrée | *Bénédicte sous enquête* |
| Gagnon, Madeleine | *Je m'appelle Bosnia* |
| Gardereau, Thibault | *Le livre d'un croque-mort* |
| Gobeil, Pierre | *Dessins et cartes du territoire* |
| Godin, Marcel | *Maude et les fantômes* |
| Gravel, Pierre | *La fin de l'Histoire* |
| Huot, Jean-Sébastien | *Le portrait craché de mon père* |

| | |
|---|---|
| Jobidon, Gilles | *L'âme frère* |
| Jobidon, Gilles | *D'ailleurs* |
| Kattan, Naïm | *L'amour reconnu* |
| Kattan, Naïm | *La célébration* |
| La France, Micheline | *Le visage d'Antoine Rivière* |
| La France, Micheline | *Vol de vie* |
| Lalancette, Guy | *La conscience d'Éliah* |
| Lalancette, Guy | *Un amour empoulaillé* |
| Lanseigne, Jean-François | *Orages* |
| Laurier, Anne | *Le crime inachevé* |
| Lazaridès, Alexandre | *Adieu, vert paradis* |
| Lazure, Jacques | *Le jardin froissé* |
| Lazure, Jacques | *Les oiseaux déguisés* |
| Lazure, Jacques | *Objets de guérison* |
| Leclair, Dany | *Le sang des colombes* |
| Letarte, Geneviève | *Souvent la nuit tu te réveilles* |
| Macé, Nicole | *Marie Carduner, Fille du Roy* |
| Macé, Nicole | *Voyage en terre inconnue* |
| Malenfant, Paul Chanel | *Des airs de famille* |
| Marcel, Jean | *Sous le signe du singe* |
| Marchand, Jacques | *Le premier mouvement* |
| Marchand, Jacques | *Les vents dominants* |
| Martel, Émile | *Humanité, nouvelle tentative* |
| Mercure, Luc | *Les saintes Marie de la mer* |
| Molin Vasseur, Annie | *Zéro un* |
| Monette, Madeleine | *Amandes et melon* |
| Monette, Madeleine | *La femme furieuse* |
| Ollivier, Émile | *Passages* |
| Ouellette, Gabriel-Pierre | *Les oriflammes noires* |
| Paul, Raymond | *La félicité* |
| Paul, Raymond | *Six visages de Charles* |
| Poissant, Isabelle | *La fabrication d'un meurtrier* |
| Racine, Rober | *Là-bas, tout près* |
| Racine, Rober | *Le mal de Vienne* |
| Saint-Martin, Lori | *Lettre imaginaire à la femme de mon amant* |
| Soderstrom, Mary | *L'autre ennemi* |
| Soderstrom, Mary | *Robert Nelson, le médecin rebelle* |
| Tapiero, Olivia | *Les murs* |
| Tétreau, François | *En solo dans l'appareil d'État* |
| Villemaire, Yolande | *Le dieu dansant* |
| Villemaire, Yolande | *Vava* |
| Zagolin, Bianca | *L'année sauvage* |
| Zagolin, Bianca | *Les nomades* |
| Zumthor, Paul | *La fête des fous* |
| Zumthor, Paul | *La porte à côté* |
| Zumthor, Paul | *La traversée* |